島に着いたとたん西洋の妖怪との戦いが始まった！
血戦の末、ねずみ男は敵にねがえり、鬼太郎たちも傷だらけ……
みかたはぜんめつしたか…
妖怪
大ピンチ！
さっそく読んでみよう！
西洋妖怪のラスボスは黒くてデカイあいつ!?

妖怪大戦争
【新装版】水木しげるのおばけ学校⑨

登場人物

ぬりかべ

目玉のおとうさん

ねずみ男

村長さん

鬼太郎

子なきじじい

すなかけばばあ

少年

ベアード
一反もめん
海ゆうれい
フランケンシュタイン
ドラキュラ
おおかみ男
魔女

ある日、鬼太郎が
町をあるいていると、
見かけない少年が
さわいでいます。
「日本のみなさん、
お聞きください。
わたしたちの島が、
西洋の妖怪に占領されて
しまったのです。
役所や警察にも
ゆきましたが、

笑ってあいてにしてくれません。どうか、みなさまのお力で……。」

と、少年は力説します。

しかし、見物人は、

「なんだ。じょうだんのすきな子どもだな。」

と言って、みんなあいてにしません。

「やっぱり、だめだった。だれもおいらの言うことを信じてくれない。」

少年は、くやしなみだにくれます。だれもいなくなってから、鬼太郎は少年の肩をポンとたたいて、

「ぼくは、きみの言うことを信用するね。」

と、声をかけました。

おどろいた少年は、目をまんまるくして、鬼太郎を見ました。

「きみのからだに、ほんのりと妖気が感ぜられるからだ。それも、日本のものではない。」

「へえ？」

「さっき、島と言ったけど、どこの島なの？」

「沖縄の先の、妖界ケ島です。」

少年は、すこし気をとりなおして、こたえました。

「そんな遠いところから、
どうしてきたの?」
「こっそり、イカダで、島をぬけだして、
助けをもとめにきたのです。」
「なるほど、命がけだな。」
「島は妖怪に占領されて、人びとは、
穴の中にかくれて、すくいを
まっています。」
そう言うと、少年は、ふたたび、
心配でたまらない思いにかられました。
「ふーん。島を占領した西洋の妖怪は、
何人くらいかね。」
鬼太郎がききました。

「たくさんいますが、
おもだったものは、
七、八人(にん)だと思(おも)います。
中(なか)には、ずいぶん大(おお)きい
ものもいます。」

「どうも正体がつかみにくいな。」

さすがの鬼太郎も、いままで西洋の妖怪とは戦ったことがないので、わかりません。

すると、目玉のおとうさんが、

「こんどの事件には、手を出さないほうがよいぞ。」

と、言います。

「どうしてですか？」

「西洋の妖怪はざんこくだ。そんなのが、おおぜいいたら、メチャクチャにされてしまう。」

「でも、日本の強い妖怪をぼしゅうすれば、勝てますよ。」

「バカ。ぼしゅうするには金がいる。そんな金がどこにある！」

目玉のおとうさんは、鬼太郎があんまりかんたんに言うので、思わず声をあらげました。

すると、少年が、
「あのう、ここに、
村長からあずかった
金の板がございます。」
と言って、鬼太郎に
わたしました。
「おとうさん、
この金の板で強い妖怪を
ぼしゅうして
みましょう。」

あくる日、鬼太郎が
新聞広告をだすと、
さっそく日本中の妖怪が、
墓場にあつまって
きました。
　鬼太郎は、いろいろ
テストして、四人の
妖怪をえらびました。

子なきじじい。
すなかけばばあ。
一反もめん。
ぬりかべ。
「では、妖界ケ島へ出発！」
鬼太郎は命令を発しました。

「イカダは、こちらです。」

少年が、海岸へ一同をあんないします。すると、

「おい、鬼太郎。」

と、ずうずうしいねずみ男の声。

「おれも、ゆかせてもらうぜ。」

ねずみ男がいると、いつもろくなことがありません。そこで、鬼太郎は、

「わるいけど、イカダが小さいので、これいじょうはむりだよ。」

と、ことわりました。

「なんだと。おまえ、長年の親友であるおれと絶交するつもりか！」

「だって今回はあそびじゃないんだ。戦いにゆくんだぜ。」

「じゃあ、どうしても、だめだというのだな、よし。」

と言って、ねずみ男は、タライにのって、ついてきました。

「ねずみ男、きけんだぞ、やめろ！」

「いらぬおせわだ。おれは、三百年も生きてるんだ。タライで太平洋を横断するくらい、あさめしまえだ。」

しかし、鬼太郎には、ちゃんとわかっていました。強がりを言っているけど、ねずみ男はほんとうは、イカダにのりたいのです。

しかたなく、ねずみ男もくわえた一行は、長い航海をつづけました。十日目の夜になって、とうとう島が見えました。

島が見えると同時に、妙なものが、とんできました。

「あっ、魔女だ！」

「きっと、ようすを見にきたんだ。」

鬼太郎は、一反もめんに、魔女を落とすように命じました。

一反もめんは、

「まかしとけ。日本の妖怪のうでの見せどころだ。」

と、とびたってゆきます。

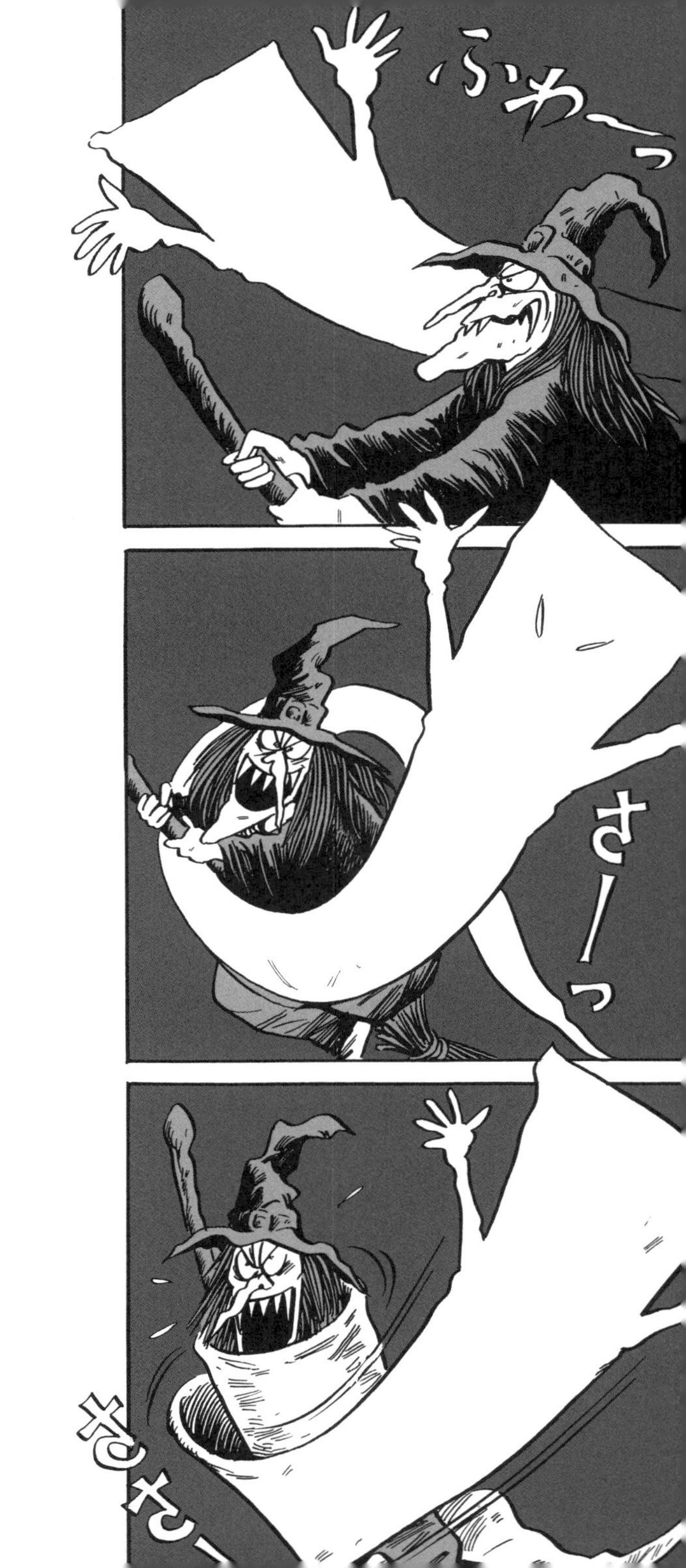

「おや、カーテンのきれっぱしみたいなものがきたね。」
と、魔女は平気です。
すると、一反もめんは、いきなり魔女をぐるぐるまき
にして、海にとびこみました。

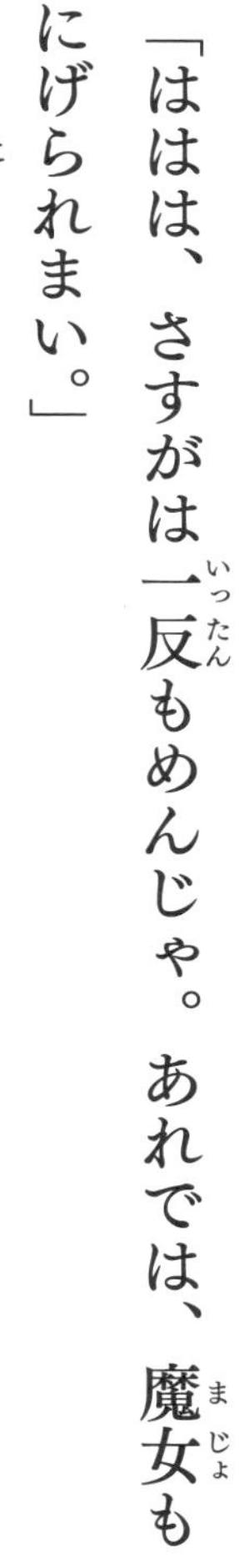

ザブーン！
「ははは、さすがは一反もめんじゃ。あれでは、魔女も
にげられまい。」
と、子なきじじいもほめます。

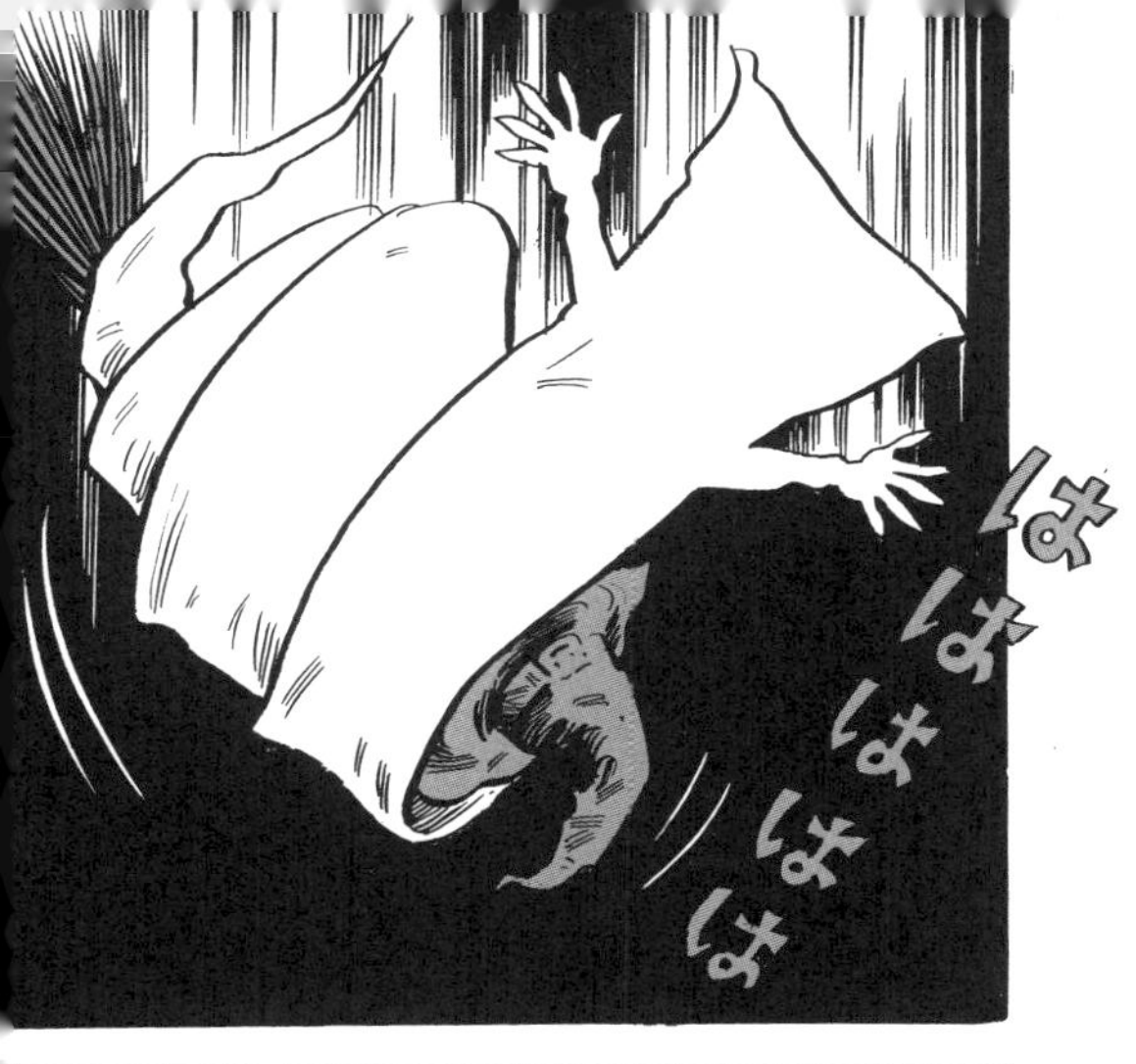

ところが、海から一反もめんをひきあげると、中でやられているはずの魔女がいません。

そのうえ、一反もめんのようすがおかしいので、しらべてみると、もめんの心臓に、長いはりがささっているではありませんか。

「あっ、魔女のもっている妖怪ごろしの毒ばりだ！」

目玉のおとうさんが、さけびました。魔女は、いったいどこにいったのでしょう。

ねずみ男は、魔女ののこしていった魔法のほうきを見つけて、いじっていました。
「なんだ、これ、まだ使えるじゃねえか。」
と、そのとき、海からいきなり魔女があらわれて、ねずみ男をさらって、空へとんでいってしまいました。
みんなは、魔女のあまりのすばやさに、ポカーンと見ているだけでした。

やっと、われにかえって、

「ねずみ男が、さらわれたーっ。」

と、さわいでいると、

「ははは。」

という、ききなれない笑い声が、ひびいてきました。

海面を見ておどろきました。なんと、西洋の妖怪に囲まれているではありませんか。

鬼太郎は、

「先手をうたれたか。」

と、くやしがりますが、囲まれてしまっていては、どうにもなりません。

「ぐわっ、ぐわっ、ぐわっ。」

と、ロンドンのおおかみ男は、ぶきみな笑い声をあげて、

「世界の妖怪があつまり、この島に妖怪の国を作ることになったんだ。」

と、せつめいします。フランケンシュタインは、気のぬけたような声で、

「協力したほうが、いいと思うよ。」

と、言います。

さらに、吸血鬼ドラキュラが、さけびました。

「きみたちは、さんせいなのか？　それとも反対なのか？」

「それより、ドラキュラくん。きみたちは島の人たちを、
いったいどうしたんだ。」

と、鬼太郎がたずねると、妖怪たちは、口ぐちにわめきました。

「なんだって！　島の人だって？　笑わせるない。おまえも妖怪のなかまだろ。それなら人間の十匹や二十匹、もんだいじゃねえよ。」

「おれたち妖怪がひとつになれば、世界をせいふくすることなど、わけはない。なかまになれ。」

「鬼太郎、へんじをしろ！　イエスかノーか!!」

　そのとき、

「あたしゃ、ノーだね！」

と、気がみじかいすなかけばばあが、いきなり、すなをばらまいたから、
さあ、たいへん！

「おのれ、かかれーっ!!」

妖怪大戦争のまくが、きっておとされました。

「うおーっ！」

「おぎゃーっ！」

子なきじじいは、一声さけぶと、

フランケンシュタインの首にかじりつきます。

子なきじじいが、かじりつくと、四百キログラム

くらいの重さになるからたまりません。

フランケンは、子なきじじいにしがみつかれたまま、

深海にドボン！

いっぽう、海ゆうれいたちは、西洋の妖怪に
みかたして、イカダからはいあがり、ぬりかべに
おそいかかります。
「ぬりかべ、あぶない！」
鬼太郎は、かみの毛ばりを、機関銃のように、
連射しました。
ダダダダダ。

吸血鬼ドラキュラは、ホコリのにおいのする黒マントをひるがえし、鬼太郎のかみの毛ばりをふせぐふりをして、口から噴霧器のように霧をまきちらします。

煙幕作戦です。

あたりは白い霧につつまれ、遠雷がとどろきました。

そして、海はにえたぎったように、くるいだしたかと思うと、子なきじじいが海底から、うかびあがってきました。

とうとう、フランケンシュタインを

たおしたのです。
同時に、雷が百くらい落ちたような
音がして、きょうれつなオナラの
においがただよってきました。
目には見えないが、
ものすごい血戦が
おこなわれたもようです。

さて、二、三日たった血戦場では、
だれもいないイカダが
浜辺にうちあげられ、
すなかけばばあがあるいている
だけでした。

「おばば。」

と、言われて、ふりかえってみると、子なきじじいが立っています。

「なんだ、じじいか。鬼太郎はどうした？」

「わしも、さがしているところじゃ。ぬりかべはどうしたい？」

「やられてしもうた。なにしろ吸血鬼の親るいの海ゆうれいのやからが、二、三十匹、ぬりかべのからだにすいつきおった。」

子なきじじいは、びっくりしました。

「ぬりかべのような強いものでも、だめなのか!?」

「うむ。集中こうげきをうければ、戦艦大和でも、やられる。」

「それにしても、なんておそろしい島じゃろう。」

そのころ、ほりょになったねずみ男は、
どうしたわけか、魔女と友だちになって、
魔女のほうきで空中スキーを
たのしんでいました。
「あっ、ありゃあ、ねずみ男じゃねえか。
またもや敵につきおったたな。」
すなかけばばあは、
とくいの目つぶしのすなを、
ねずみ男にむかってなげつけました。

あんのじょう、ねずみ男は、ドタン
と、落ちてきました。
ねずみ男はコブを出し、立ちあがる
と、すなかけたちを見て、

「おまえたち、なにしてんの。これを見ろ。」

と、鬼太郎のチャンチャンコを見せます。

「鬼太郎も、われわれ西洋の妖怪とともに、妖怪の国を作ることに協力することになったんだ。」

「なんだと。おまえのことばには、だまされんぞ。」

と、子なきじじいが、つかまえようとすると、ねずみ男は、ひらりと魔女のほうきにつかまって、にげていってしまいました。

さて、ここは人気のない入江……。

鬼太郎とおとうさんが、話しあっています。

「みかたは、ぜんめつしたか……。」

鬼太郎たちは、日本の妖怪がぜんめつしたと思っているのです。

「なによりも……。」

と、おとうさんは、ざんねんそうに言います。

「おまえのチャンチャンコをうばわれてしまっては、おまえの神通力もないのと同じだ。」

「チャンチャンコくらい、なくたって……。」

鬼太郎は、くやしそうに言いました。

「あのチャン
チャンコは、
祖先の霊毛で
作ってあるんだ。」
「霊毛？」
「人間は死んで
しまえば、
なにものこらないが、
われわれは死ぬときに
一本ずつ霊毛という
生きた毛をのこす。
おまえが地獄に
ゆききできる超能力も、

祖先の霊毛の力のおかげなのだ。」

鬼太郎は、おどろきました。

「チャンチャンコは、そんなにねうちのあるものだったのですか。」

おとうさんは、

「なんとしても、あのチャンチャンコだけはとりかえさないと、祖先にたいしてもうしわけない。」

と、くやしがります。

すこし、村のほうへあるいていくと、

「あっ、鬼太郎さんじゃ、ありませんか。」

と、きいたような声がします。それは、島の少年でした。

「おっ、きみは生きていたのか。」

「あの戦いのとき、むちゅうで海にとびこんだのです。」

「島の人は、ぶじかね。」

「それが、ぼくのるす中に、半分くらいやられてしまいました……。

神社のウラにある岩穴に、村長はじめ五、六十人が、かくれています。」

子どものあんないで、鬼太郎が岩穴に入ると、村長が、

「あっ、鬼太郎さん、ごぶじでしたか。われわれを助けてくれるおかたは、あなただけです。」

と言って、鬼太郎をむかえます。

「それにしても、おかしいなあ。なんでこの島だけに、妖怪がやってきたんだろう。」

鬼太郎がふしぎがっていると、表でねずみ男の声がします。

「おやおや、鬼太郎。おまえ、ここにいたのか。」

「あっ、ねずみ男。おまえは、いったい敵なのか、みかたなのか。」

「ふん、大きな口をきくな。おまえ、これをとられたら、なにもできないだろ？」

と、ねずみ男は、とくいそうにチャンチャンコを見せます。

「あっ、それは！　ねずみ男、おまえ、おかしくなったのかーっ！」

「だまれ、鬼太郎！
見ろ、このおかたが、われわれの新しい帝王であらせられるのだ！」

ねずみ男が、そう言うやいなや、
「うっはははは。」
という、われがねのような大きな笑い声とともに、
ベアードというアメリカの妖怪が出現しました。

そのとき、目玉のおとうさんが出てきて、忠告しました。

「鬼太郎、ベアードの目玉を見るんじゃないぞーっ。目を見たものは、正気を失って、ベアードの言うとおりに動くようになってしまうぞ。」

鬼太郎たちは、目をつむりました。

強力な西洋の妖怪にまもられて、とくいまんめんのねずみ男は、

「鬼太郎、わるいことは言わない。この新しい帝王の部下になるのだ。そうすれば、おなさけで命だけはたすけていただけるぞ。」

と、ちょうしのいいことを言います。

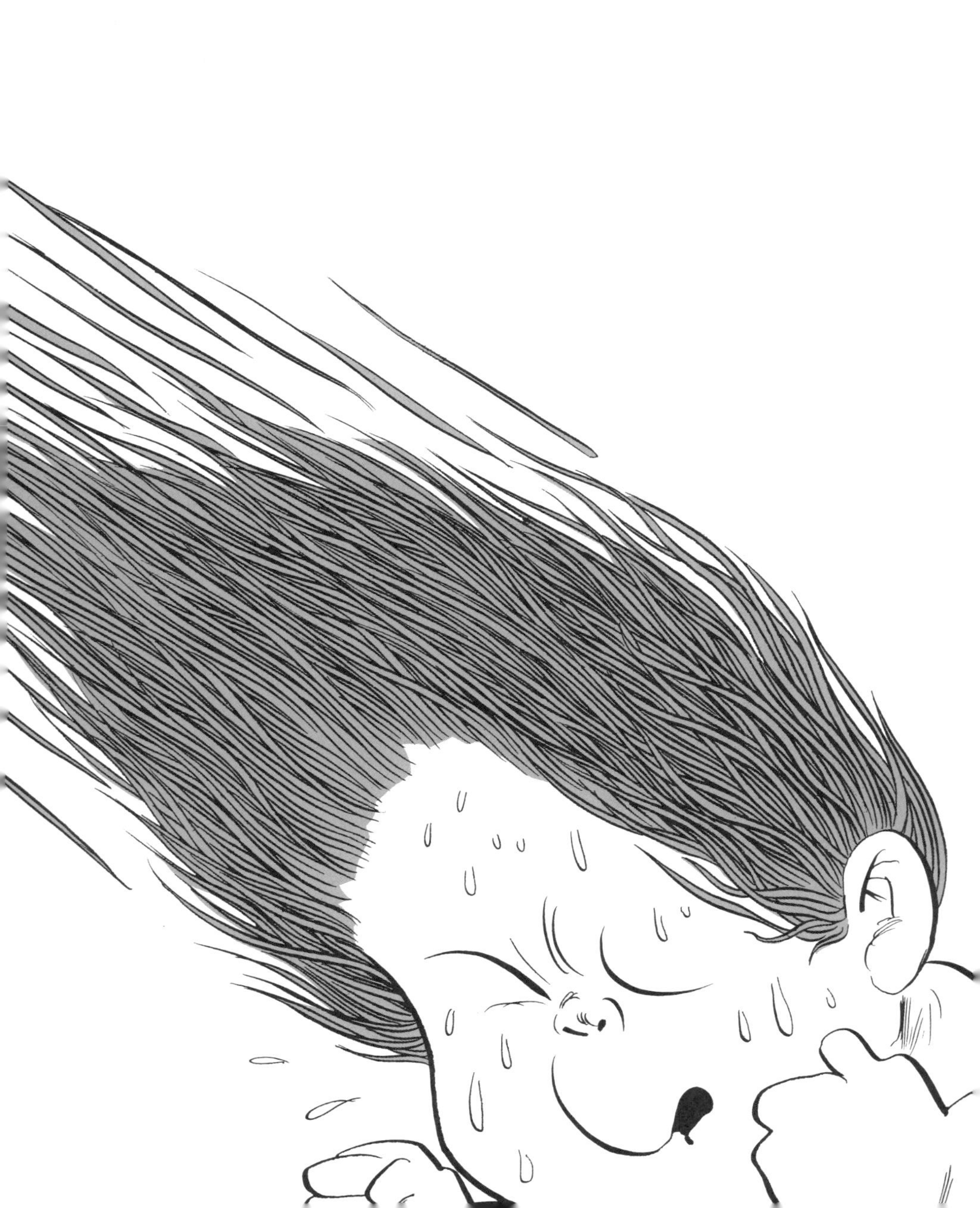

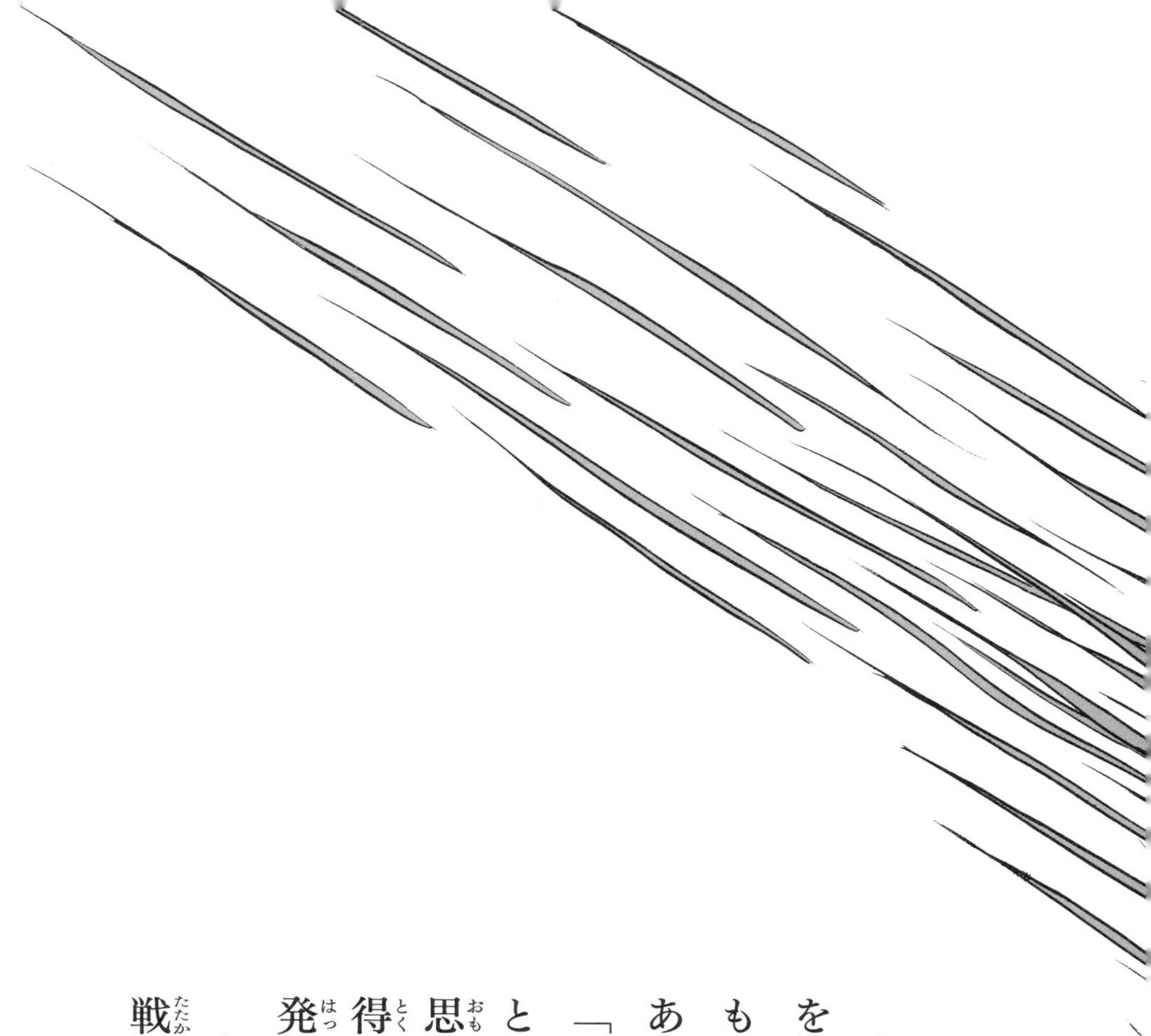

島の人たちは、岩穴の入口を妖怪にふさがれたので、もうだめだ、と、半分あきらめていました。
「うっ。」
と、鬼太郎がうなったと思うと、得意のかみの毛ばりを発射しました。
鬼太郎は、あくまでも戦う気です。

ベアードは、鬼太郎のかみの毛ばりが、たいせつな目にささっては、かなわないと思ったのでしょう。

「戦術的たいきゃく!!」

と、さけびます。

一同は、一時、岩穴のまえから去りました。

うわーっ

鬼太郎は、かみの毛を使いはたして、
バッタリたおれてしまいました。

「鬼太郎さん。」

と、少年が近づくと、目玉のおとうさんは、

「そっとしておきなさい。念力を使いはたしたのだ。」

「念力？」

「一種の精神力で、かみの毛をはりのようにして発射したのだ。」

「そういえば、頭にかみの毛が三本しか、のこっていない。」

「毛は、また生える。それより、早く穴の入口を
石でもおいて、ふさがないと、やつらが、またくるぞ。」

と、目玉のおとうさんが注意します。

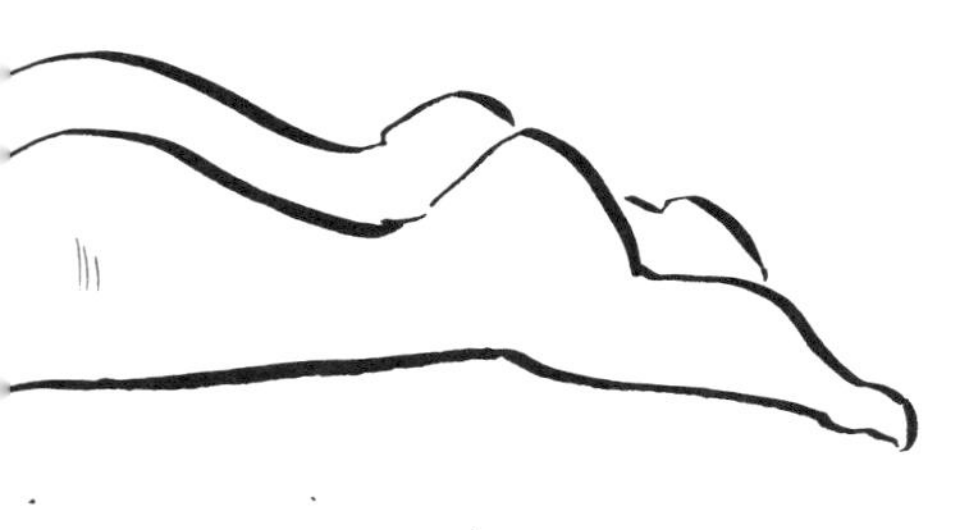

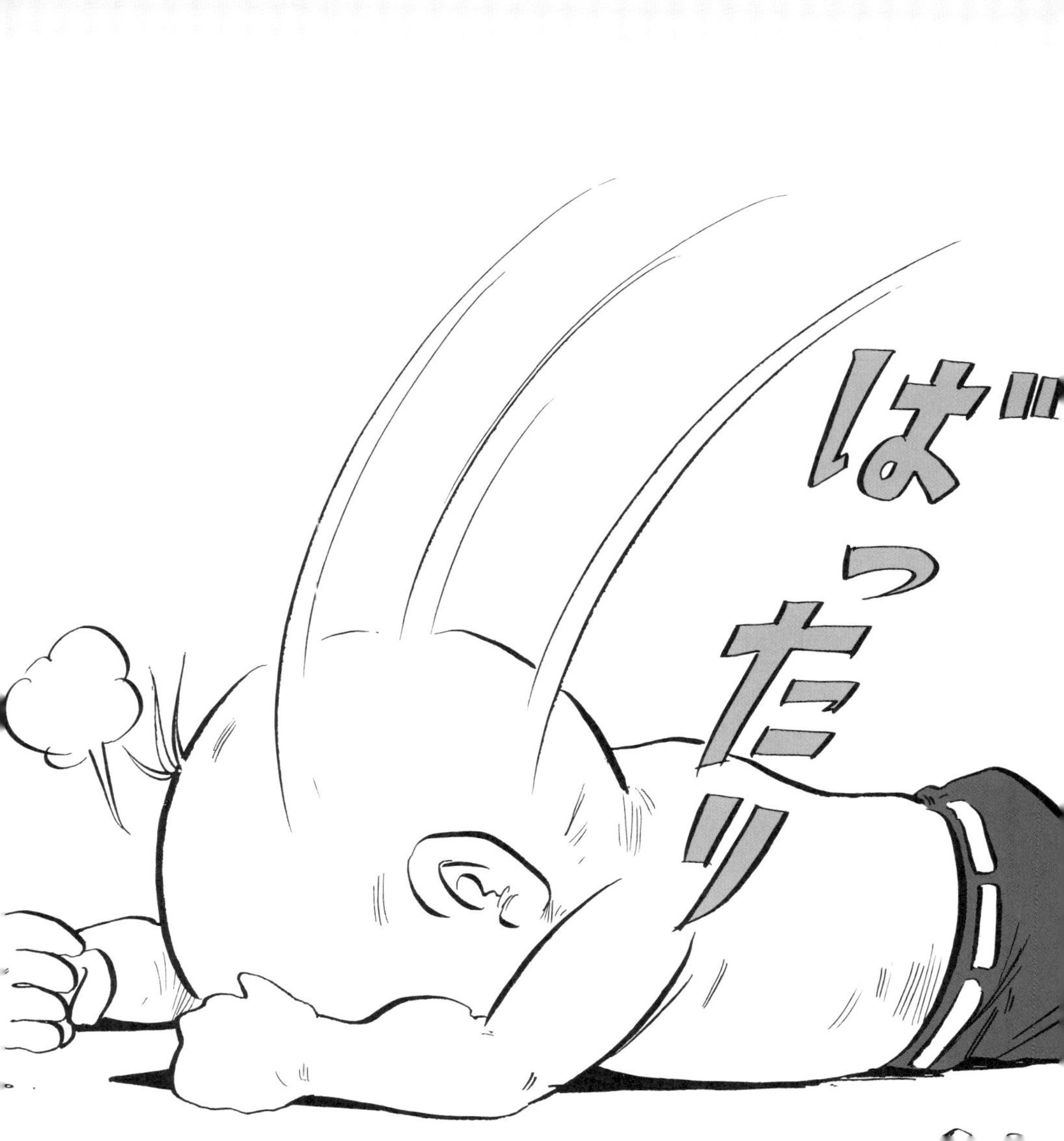
ばったり

「敵のようすをさぐりにゆくから、肩にのっけてくれ。」

と、目玉のおとうさんは、少年の肩にのりました。少年は、

「敵は、ガジュマルという木の林にいますだ。」

と、あんないします。

「しーっ、声が高い。」

「あっ、ここに、すなかけと子なきじいさんが、たおれています。」

「血だらけになっているところを見ると、戦いがあったのだな。」

目玉のおとうさんは、すなかけのからだをしらべました。

「やられている。」

「死んだのですか？」

「そうだ……。日本の強い妖怪が、こうまでやられるとは……。」

目玉のおとうさんたちが、森に入ると、西洋の妖怪たちが、相談しているところでした。

「きみは、きけんだから、神社のウラの穴にかえりなさい。」

目玉のおとうさんは、少年をさきにかえしました。

「鬼太郎のやつ、念力を使いはたして、へとへとになっておる。ドラキュラ、おおかみ男、おまえたちは、鬼太郎をだまして浜辺までつれだせ。すぐ、わしがたいじする。」

ベアードは、一気に勝負に出る気です。

「そのあいだに、魔女とねずみ男は、
穴の中の島民をみな殺しにするのだ。」
「はい。」
「これで、この島はかんぜんに征服される
ことになる。」
それをきくと、目玉のおとうさんは、
「こりゃあ、たいへんだ。早く鬼太郎の
チャンチャンコを見つけないと……。」
と、あせりました。

そのときです。

「おい、ねずみ男。わしのたいせつなほうきはどうした？」

「だいじょうぶだ。この通り、なおして物干しのかわりにしている。」

と、魔女とねずみ男の声がきこえました。

「あっ、あんなところにチャンチャンコが……。」

目玉のおとうさんは、魔女のほうきにとびのって空にまいあがりました。
「あーっ、ほうきが！」
「なーに、心配するな。」
と言うと、魔女は
口の中で呪文をとなえ
はじめました。

すると、ほうきは海の中にチャポンと落ちました。

「この神秘的なほうきの使いかたは、わしにしかわからんのじゃ。はははは。」

と、魔女はとくいです。

「しかし、ほうきはかえったが、チャンチャンコ……。」

「バカ、早く出発しないと、帝王にしかられるぞ。ほうきにのれ。」

と、ふたりは岩穴にむかいました。

目玉のおとうさんは、チャン
チャンコにつかまって命びろい。
「このままでは、鬼太郎も、
島の人びともあぶない。」
と、もがきますが、
どうすることもできません。

さて、島の人たちのいる岩穴では、鬼太郎が弱ってねています。

そこへ、村長がやってきました。

「鬼太郎さん、外に敵の使者がきています。」

「なに、敵の使者？」

「この島を半分ずつにわけて、平和にくらそうと言っています。」

「そんなこと、ほんとかな。」

鬼太郎が、穴の外に出ていくと、ドラキュラとおおかみ男がまっていて、

「鬼太郎くん、浜辺にわれわれの帝王バックベアードさまが、まっておられる。平和のために話しあいにゆこう。」

と、さそいます。

鬼太郎、あやうし!!

いっぽう、鬼太郎のおとうさんは、チャンチャンコを手にしたまま、
どうすることもできずに、こまっていました。
しかし、子を思うなみだが、チャンチャンコにしみわたったとき、
ふしぎなことがおこりました。
祖先の霊毛でできているチャンチャンコは、子孫のために
役立とうとするのでしょうか。
みるみる赤くそまったかと思うと、
ふわふわと、まるでムササビのように、ひとりで動きだしたのです。

ところが、そのようすを空から
見ているものがいたのです。
バックベアードです。
ベアードが、パッとにらむと、
さすがのチャンチャンコも、また、
その上にのっていた目玉の
おとうさんも、クラクラクラーッと、
気をうしなって、浜辺に
落ちてしまいました。
さいわい、ベアードの目を
見なかったので、
おかしくならなかったのが、
せめてものすくいでした。

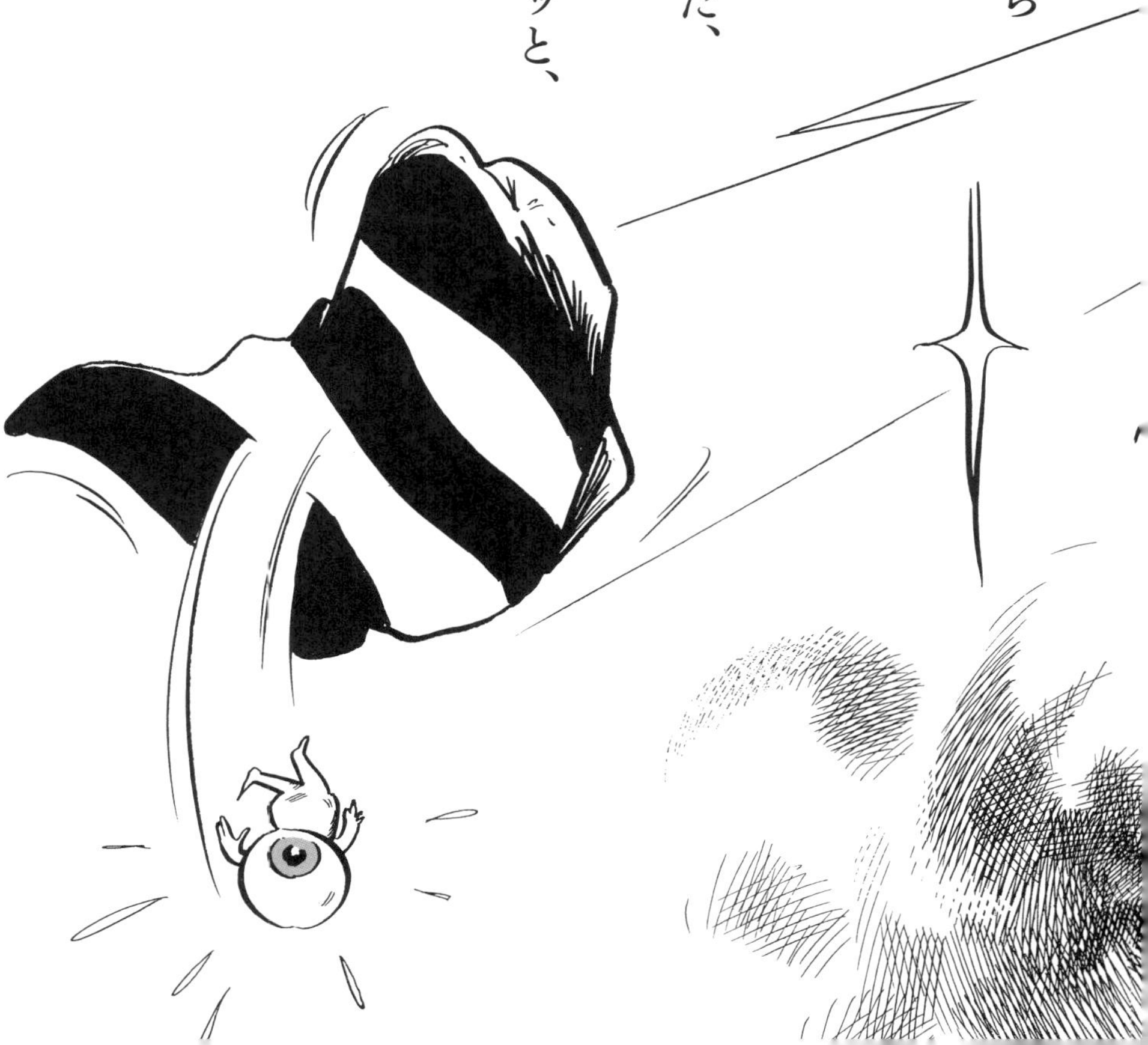

「わかったか。わしの眼力には、いかなるものもかなわないのだ。」

ベアードは、鬼太郎のまつ浜辺にやってきました。

「はははは。」

という笑い声に、鬼太郎は、思わず、うしろをふりむいてしまいました。

そのひょうしに、鬼太郎はベアードの目を見てしまったのです。

しらしらしらしら

鬼太郎は、まんまと敵の作戦にひっかかってしまったのです。
頭がこんらんして、バッタリとたおれてしまいました。
ベアードは、これで、すべてがおわったと、勝利の笑い声をとどろかせました。

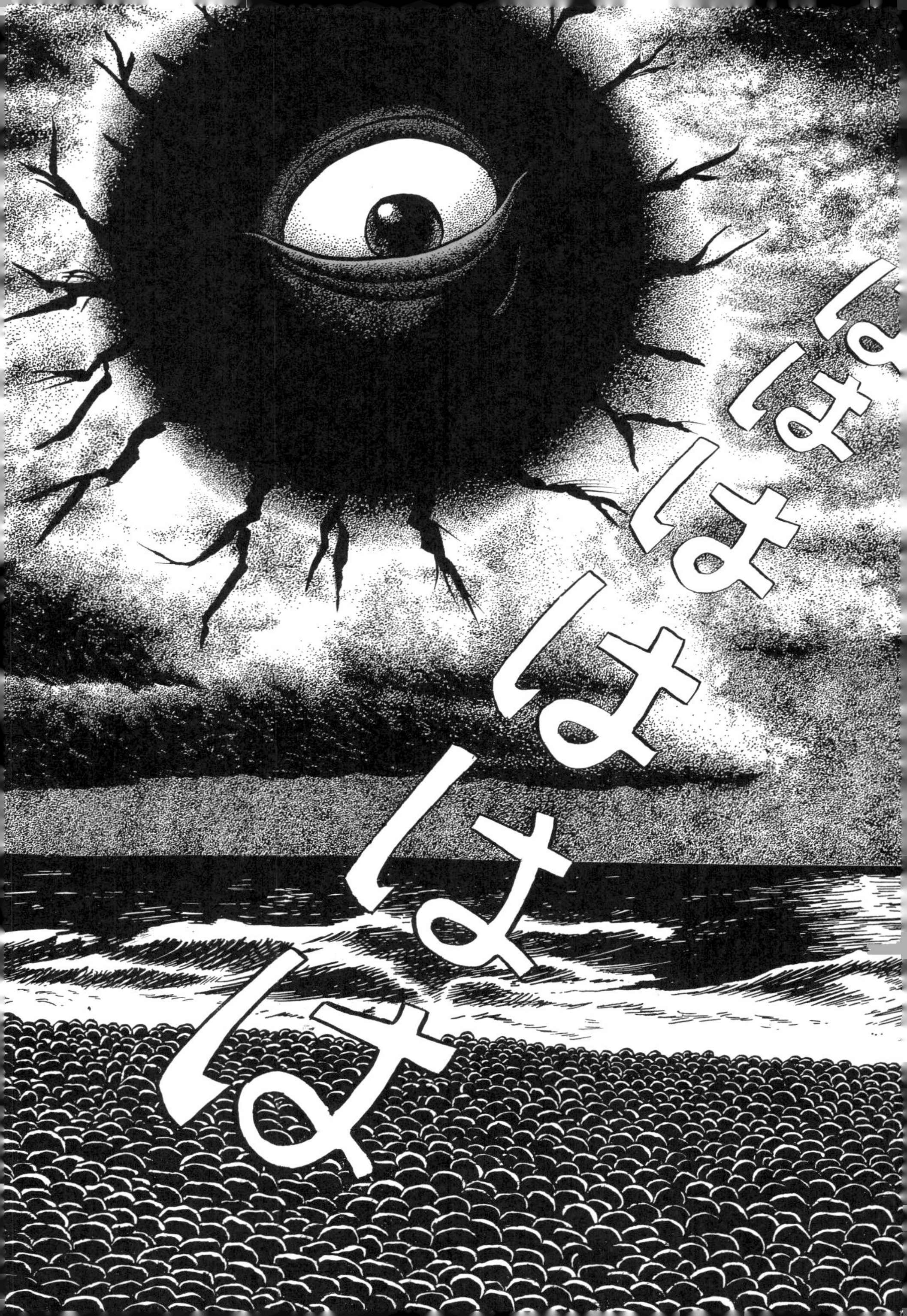
はははははは

いっぽう、神社のウラでは、魔女とねずみ男が、
「みなごろしの歌」をうたいながら、
岩穴に近づいていました。
ところが、ねずみ男は、ちょうしにのっていたために、
落ちていたチャンチャンコと目玉のおとうさんを、
ふんづけてしまいました。
そのおかげで、気をうしなっていたチャンチャンコと
目玉のおとうさんは気がついて、
魔女におそいかかりました。

ふわふわ
ふわ

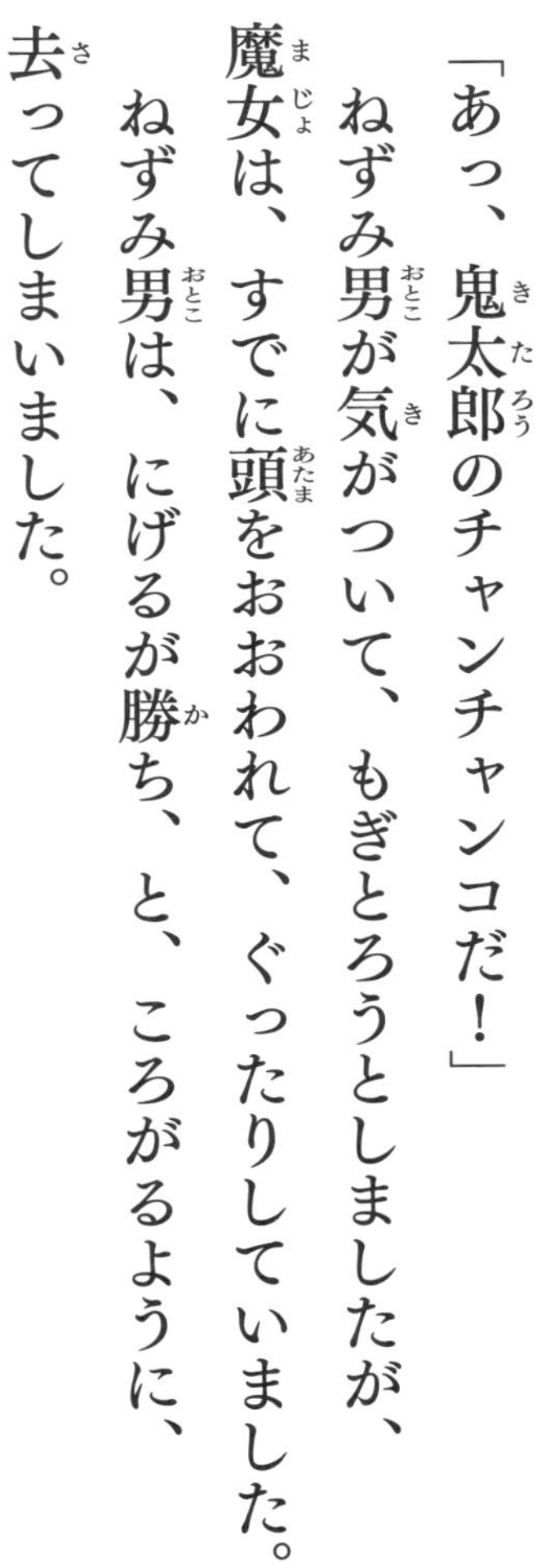

「あっ、鬼太郎のチャンチャンコだ!」
ねずみ男が気がついて、もぎとろうとしましたが、
魔女は、すでに頭をおおわれて、ぐったりしていました。
ねずみ男は、にげるが勝ち、と、ころがるように、
去ってしまいました。

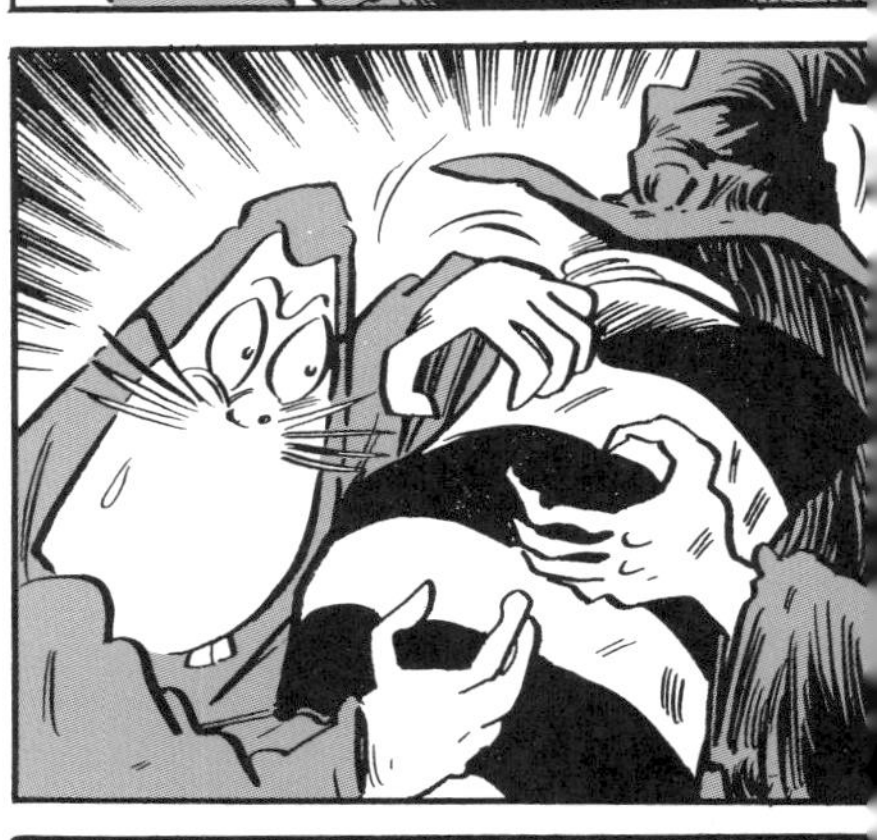

が、しかし、
チャンチャンコも
意地になって、おいかけます。
ついに、ねずみ男をとらえ
ると、一時的に気を
うしなわせました。
「さあ、チャンチャンコ。
鬼太郎をさがしにいこう！」
目玉のおとうさんは、
浜辺へむかいました。

まもなく、浜辺にたおれている鬼太郎を見つけました。

近よってたすけおこすと、なんと鬼太郎は、目玉のおとうさんに、はむかってきました。

「しまった。ベアードにやられている！　目だ！

ベアードの目をつぶすんだ！」

目玉のおとうさんは、チャンチャンコで、ヒラリヒラリとベアードの目の光をさけながら近づき、ハリで、ひとつき！

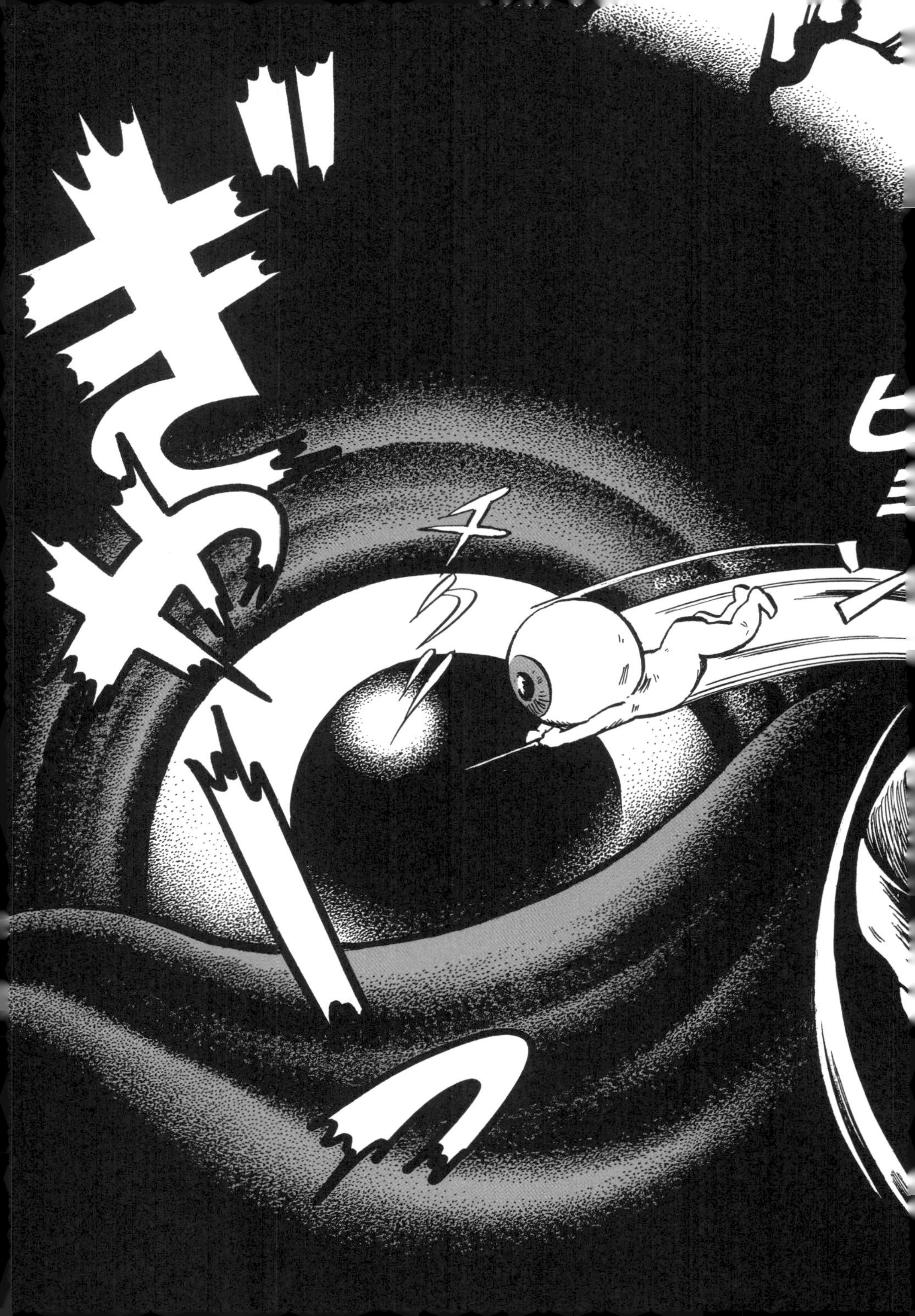
ギャーッ
チクッ

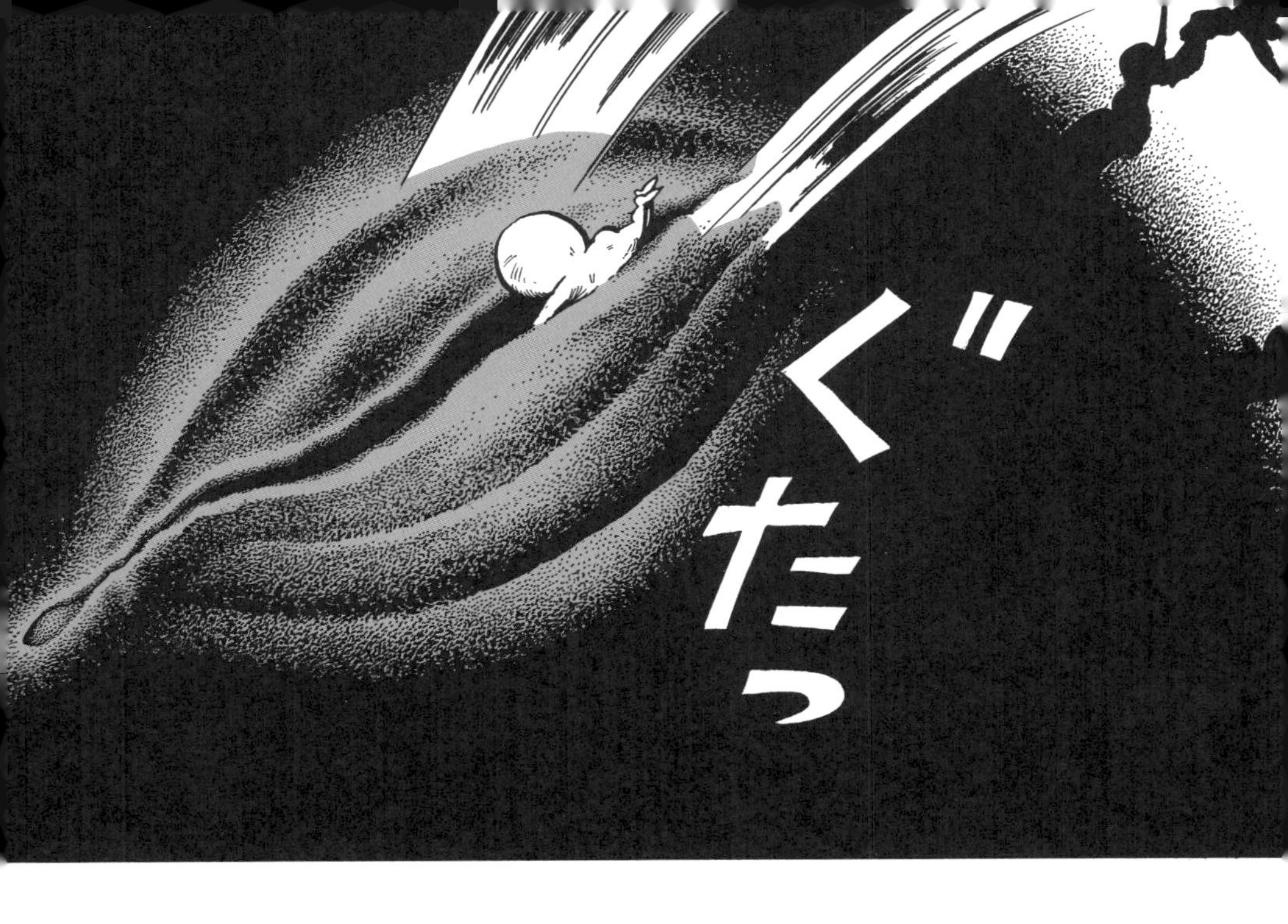

「ギャーッ！　おい、その目玉を
つかまえろ！」
と、言うと、ベアードは、
バッタリたおれました。
「ベアードさま、
だいじょうぶですか！」
妖怪たちが、
かけよったときにはベアードは、
すでに息たえていました。
ベアードの急所は、
目だったのです。
「おのれ、このやろう！」
いかりくるったおおかみ男は、

目玉（めだま）のおとうさんを、
わしづかみにして、
ふりまわしました。
「く、くるしーい。」
目玉（めだま）のおとうさんは、
かぼそい声（こえ）をあげました。

しかし、ベアードが死んで、
ベアードの妖力から自由になった鬼太郎が、
とんできました。
「おとうさんを、どうする気だ！」
おおかみ男が、目玉のおとうさんを
食べようとして口をひらいたしゅんかん、
おおかみ男の顔に、鬼太郎の鉄けんが
とびました。
ビシッ、ビシッ！
目玉のおとうさんは、鬼太郎の頭の
上にのがれ、おおかみ男はたおされて
しまいました。

ぴしっ

おどろいたドラキュラは、

「鬼太郎、おまえ、おれたちのなかまに入ったんじゃあなかったのか！」

と、さけびます。

ほかの妖怪たちも、

「ベアードさまが死んだので、正気にかえったにちがいねえ。」

「かまわねえ、やっちまえーっ！」

と、おそいかかってきました。

「鬼太郎、チャンチャンコを着ろ！」
目玉のおとうさんが、チャンチャンコをなげてよこしました。
鬼太郎は、チャンチャンコを着ると、げたをはいて、妖怪の頭をとびこえてにげました。
すると、むこうから、ねずみ男がはしってきました。

「あっ、鬼太郎、おめえ、どうしたんだ？」

「それどころじゃないんだ。妖怪がゴマンと、おっかけてくるんだ。早く、火をかけろ！」

鬼太郎は、ねずみ男に、草に火をつけさせました。

島の中央部は、まもなく、炎につつまれました。

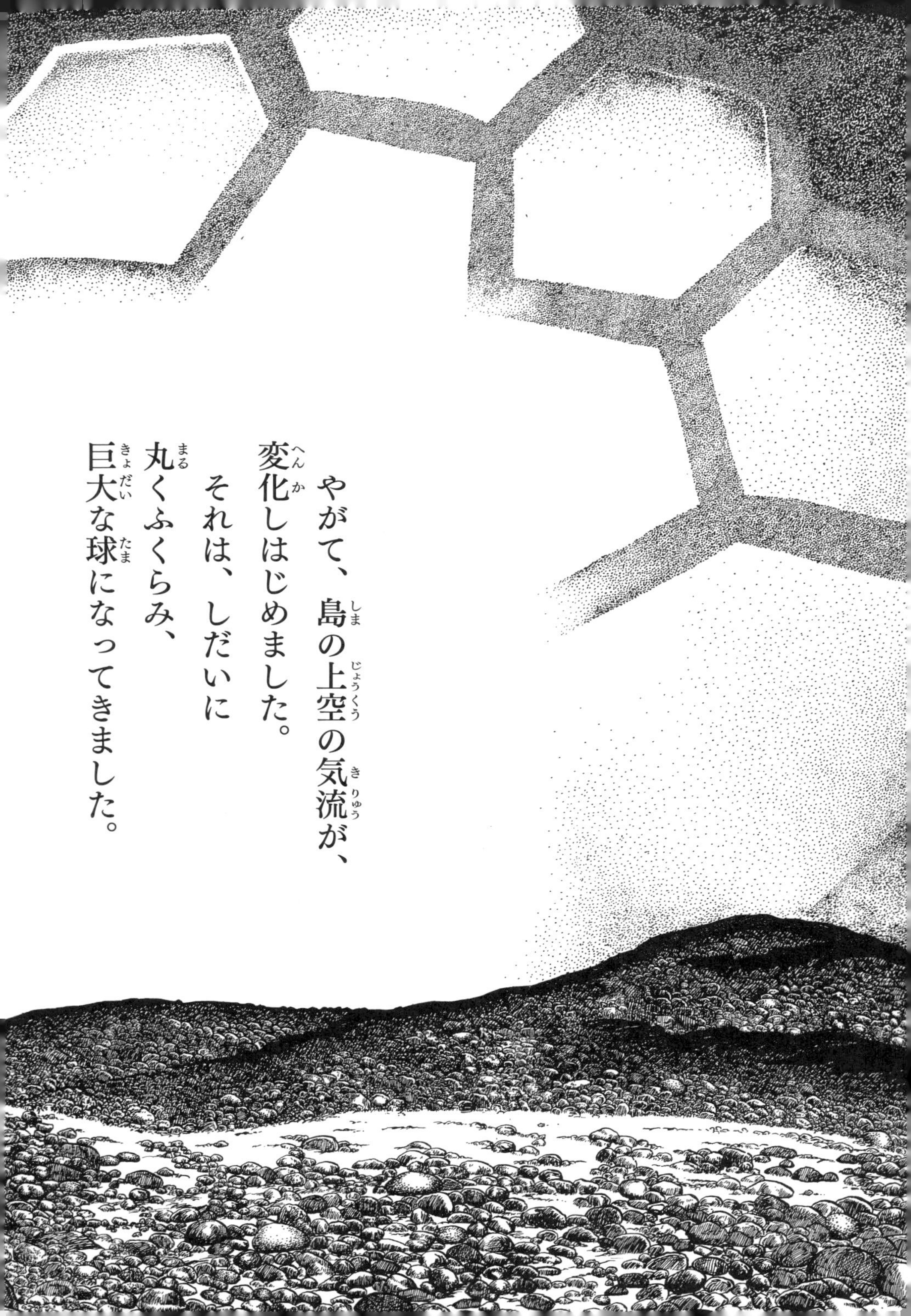
やがて、島の上空の気流が、
変化しはじめました。
それは、しだいに
丸くふくらみ、
巨大な球になってきました。

巨大な球になった妖気のかたまりは、夜空にまいあがっていきました。

そして、よく見ると、その中は、島を占領していた妖怪でいっぱいでした。

その球は、ふうせんのように、ふわふわしながら、いずこかへ去っていってしまいました。

ゴロゴロゴロゴロゴロゴ

島の人びとは、

「いったい、ありゃあ、なんだ……。」

と、ぽかーんと、見あげています。

目玉のおとうさんは、せつめいをはじめました。

「あれは、妖怪現象といって、

人間の目には見えないが、気温、地質などの条件がそろえば、

いずこからともなくあらわれて、

地表のある部分をつつんでしまうものなのだ。

この島は、ぐうぜん、気温や地質が、

妖怪現象があらわれるのに適した状態になってしまったんだね。」

「ふーん、なるほど。それで、島全体が妖怪現象に

つつまれてしまったというわけか。」

鬼太郎も、あまりのふしぎさに、おどろいています。

目玉のおとうさんは、さらに、せつめいをつづけました。
「これは、三千年に一度くらいしか、あらわれない現象なんだ。このなぞは、現在でもとかれていない。」
「すると、その現象にぶつかったものだけが、ああいう妖怪たちにおそわれるのですか……？」

少年が、質問しました。
「そうだよ。
それにしても、西洋の妖怪たちが、あの妖気の中にすんでいたとはおどろいたねえ。」
さすがの目玉のおとうさんも、かんしんして言いました。
「おとうさんは、ものしりなんだなあ。」
鬼太郎が、言いました。

「ウム。祖先が一度だけ、この現象になやまされたことがある。ほら、このチャンチャンコの肩のところの毛が、三千年前の祖先の毛だ……。」

「なるほど。この祖先の霊毛が、おしえてくださったんですね。」

「そうだ。火をつけたことで気象がかわって、妖怪現象が移動していったわけだ。」

島の人びとも、やっと、わけがわかったようでした。

「目玉のおとうさん、鬼太郎さん、ほんとうにありがとうございました。」

村長さんが、ていねいに、おれいを

のべました。

少年も、なみだをうかべて、言いました。

「科学でも解明できない妖怪現象を、おいはらってくださって、ありがとうございました。」

鬼太郎は、頭をかきながら言いました。

「いや、おれいを言われると、かえって心苦しい。今回の戦いは、苦戦だった。」

ねずみ男は、

「おれは、はずかしいヘマばかりしてしまって……。」

と、元気がありません。

すなかけばばあ、ぬりかべ、一反もめん、子なきじじいたちも、息をふきかえして、ひとあしさきに、家にかえりました。

「さようならー。」

島の人びとが、手をふります。

少年は、イカダのかたちが見えなくなっても、まだ、手をふっていました。

ひとりの少年の勇気が、島をすくい、島には、ふたたび平和がおとずれました。

水木しげる

1922年、鳥取県境港市出身。同市の高等小学校を出て大阪にゆき、いろいろな職業につきながら、いろいろな学校を出たり入ったりする。戦争で左腕を失う。著書には『ゲゲゲの鬼太郎』『悪魔くん』『河童の三平』『日本妖怪大全』などがある。

※本書は、1983年にポプラ社より刊行された『水木しげるのおばけ学校⑨　妖怪大戦争』を再編集したものです。再編集にあたって、一部、現代の社会通念や人権意識からは不適切と思われる表現を修正しております。

妖怪大戦争

新装版　水木しげるのおばけ学校⑨

2024年9月　第1刷

著　者　水木しげる

発行者　加藤裕樹

発行所　株式会社 ポプラ社

〒141-8210 東京都品川区西五反田3-5-8
JR目黒MARCビル12階
ホームページ www.poplar.co.jp

印刷・製本　中央精版印刷株式会社

デザイン　野条友史（buku）

ロゴデザイン協力　BALCOLONY.

落丁・乱丁本はお取り替えいたします。ホームページ（www.poplar.co.jp）のお問い合わせ一覧よりご連絡ください。

N.D.C.913 ／ 111P ／ 22cm ISBN 978-4-591-18274-1
P4184009